chambres vertes

festival international de jardins deuxièm

Garden Rooms - International Garden Festival

Jardins de Métis / Reford Gardens

Philippe Poullaouec-Gonidec et Denis Lemieux
en collaboration avec / in collaboration with Hubert Beringer

sommaire

les jardins, leurs concepteurs

avant-propos

Le Festival international de jardins est un digne héritier de l'œuvre d'Elsie Reford. Cette femme remarquable qui a créé ses jardins à Grand-Métis au début du siècle dernier, nous a laissé un jardin traditionnel qui provoque par son audace. Malgré la rudesse nordique de la région, elle a démontré que le jardin est le lieu de tous les possibles, que l'expérimentation en est l'âme et que l'exotisme en est l'expression. Elle a fait la preuve que le jardin n'est pas nécessairement l'œuvre de la nature qui l'a vu naître.

Le Festival international de jardins illustre parfaitement cette orientation, tout en poursuivant l'œuvre du jardin expérimental. Ce rendez-vous annuel donne à voir des constructions éphémères qui interpellent ou non le monde du vivant, mais qui sont avant tout éloge à la vie, celle de nos idées et de notre imaginaire.

Alexander Reford, président et directeur des Jardins de Métis

foreword

The International Garden Festival at the Reford Gardens is a worthy heir to the work of Elsie Reford, the remarkable woman who built her gardens at Grand-Métis in the early 1900s. Her legacy is a traditional garden that challenges us with its daring. Faced with a rugged northern site, she showed that a garden is a place where anything is possible, with experimentation its very soul and exotic blooms its expression. She demonstrated that a garden need not be shaped by its natural setting.

The International Garden Festival espouses this same philosophy, as it continues in a similar experimental vein. This annual gathering brings together ephemeral constructions, some of them rooted in the natural world, but all of them a tribute to life—the life of our ideas and our imaginations.

Alexander Reford, President and Director, Reford Gardens

Hydro
Québec

introduction

Le Festival international de jardins de Métis a su s'imposer, en deux ans, comme le rendez-vous incontournable de tous les amateurs de nature et de culture, en réunissant des concepteurs engagés dans le renouvellement de l'art des jardins. Lieu d'expérimentation et tremplin pour les concepteurs y participant (toutes disciplines confondues), cet événement offre au public le plus large possible de nouveaux territoires de découvertes et des expériences sensorielles inédites.

In the space of two years, the International Garden Festival has made a name for itself as an essential stop for all nature and culture lovers, as it brings together designers committed to renewing the art of garden. A laboratory and a springboard for participating designers in all disciplines, the event offers new discoveries for the widest possible audience, allowing visitors to delight in unusual experiences for the senses.

En privilégiant un moyen d'expression aussi populaire et aussi riche de significations culturelles et de savoir-faire que le jardin, le Festival de Métis est devenu un lieu où se croisent tous les savoirs et tous les publics, amateurs et spécialisés.

By turning the spotlight on a means of expression as popular and rich in cultural meaning and know-how as the garden, the Festival is an event where amateurs and experts meet and where knowledge in all fields is exchanged.

Cet événement, unique en Amérique du Nord, se distingue par la présentation de jardins éphémères réalisés par des concepteurs québécois et étrangers. Réalisés sur un site adjacent aux jardins historiques, les jardins éphémères permettent d'établir un dialogue entre histoire et modernité, entre tradition et innovation.

The highlight of the event, and what makes it unique in North America, is the series of temporary gardens created by designers from Quebec and elsewhere. These creations are set up on a site adjacent to the historic gardens, thereby creating a dialogue between history and modernity, tradition and innovation.

Pour sa deuxième édition, qui a eu lieu du 23 juin au 30 septembre 2001, le Festival international de jardins présentait neuf jardins temporaires, dont cinq sont issus d'un appel de candidatures interdisciplinaire à l'échelle internationale (*Sentier battu,* de BGL, *Jardin territoire,* de Pierre Thibault, *Sous la pelouse, le jardin,* de Sophie Beaudoin, Marie-Ève Cardinal et Michèle Gauthier, *Narcissist Narcoses,* de Richard Davignon, Laura Plosz et Troy Smith, et *In vitro,* de NIP Paysage), un jardin conservé de la première édition (*Not in my backyard,* d'Anna Radice et Patricia Lussier) et trois jardins de concepteurs français (*Une semaine au potager,* de Michel Boulcourt, *Couleurs du temps* de Dominique Caire et *ÊTRE LÀ un peu.. +,* de Bernard Lassus). Par cette présence française, le Festival privilégiera dorénavant en plus de l'émulation des créateurs, la présence d'un pays invité.

For its second edition, from June 23 to September 30, 2001, the International Garden Festival presented nine temporary gardens, five of them the result of an international call for proposals (*Sentier battu* by BGL, *Jardin territoire* by Pierre Thibault, *Sous la pelouse, le jardin* by Sophie Beaudoin, Marie-Ève Cardinal and Michèle Gauthier, *Narcissist Narcoses* by Richard Davignon, Laura Plosz and Troy Smith, and *In vitro* by NIP Paysage). One garden was "held over" from the first edition (*Not in my backyard* by Anna Radice and Patricia Lussier) and three were the brainchildren of French designers (*Une semaine au potager* by Michel Boulcourt, *Couleurs du temps* by Dominique Caire and *ETRE LÀ un peu ..+* by Bernard Lassus). By inviting these French designers, the Festival introduced a practice that it will continue in years to come, not only attracting ideas but also spotlighting a "guest country."

Inscrites dans le cadre de *France au Québec/la saison*, des manifestations culturelles et festives, toutes imprégnées de jardins et de paysages, complétaient les trois créations françaises. Ainsi, le Festival a présenté, en collaboration avec le Centre culturel des Jardins de l'Imaginaire de Terrasson, un ensemble d'événements, dont un atelier sur la fleur et le fleurissement (avec trois spécialistes français), un colloque sur le paysage (avec des philosophes, des historiens, des géographes, des écrivains, des architectes paysagistes et des enseignants français et québécois), un salon du livre de jardins, *La plume et le râteau* (avec une vingtaine d'auteurs québécois et français) et une création pyrotechnique, *Le Jardin de lumière* (présentée par le Groupe F, stars internationales de la pyrotechnie). Ces activités, largement diffusées sur les scènes nationale et internationale, ont permis de rassembler plus de 7 500 personnes sur le site des Jardins de Métis durant la fin de semaine du 1er et du 2 septembre 2001. Elles ont aussi contribué à affirmer la place de Métis en tant qu'organisateur d'événements internationaux.

The three French gardens were complemented by various cultural activities and festivities as part of *France au Québec/la saison*, all on the theme of gardens and landscapes. In collaboration with the Centre culturel des Jardins de l'Imaginaire de Terrasson, the Festival hosted a whole series of events, including a workshop on flowers and floral design (with three experts from France), a seminar on landscapes (with philosophers, historians, geographers, writers, landscape architects and teachers from France and Quebec), a garden book fair entitled *La plume et le râteau* (*The pen and the rake*), featuring some twenty authors from Quebec and France, and a fireworks creation called *Le Jardin de lumière* (*The garden of light*) presented by Groupe F, world-renowned fireworks designers). These events, which received extensive national and international coverage, attracted over 7,500 people to the Reford Gardens site on the weekend of September 1 and 2, 2001. They also helped confirm the Gardens' credentials as an organizer of international events.

Le catalogue des *Chambres vertes, deuxième édition,* dévoile le cœur et l'âme de ce rendez-vous de l'art des jardins. Le lecteur y est convié à la découverte de chacun des jardins réalisés. Mais auparavant, il nous a semblé important de préciser les assises qui sous-tendent la tenue de ce rendez-vous annuel et la particularité de cette édition.

The *Gardens Rooms, 2nd Edition* catalogue presents the heart and soul of this rendez-vous of garden art. It invites readers to discover each of the gardens created last year. But it seemed only right to first explain the roots of this annual gathering and the special features of the second edition.

Denis Lemieux, directeur, Festival international de jardins de Métis et
Philippe Poullaouec-Gonidec, titulaire et cofondateur de la Chaire en paysage et environnement
de l'Université de Montréal et cofondateur du Festival

Le jardin de lumière

Création pyrothechnique présentée les 1er et 2 septembre 2001 par le Groupe F (sous la direction de Christophe Berthonneau et Éric Travers) dans le cadre de *France au Québec / la saison*.

« ... Et la baie de Métis est devenue un paysage de lumière, une expérience spatiale et sensorielle dont les 6 000 personnes présentes se souviendront longtemps. »

The garden of light

A pyrotechnic creation, presented on September 1-2, 2001, by Groupe F (under the direction of Christophe Berthonneau and Éric Travers) as part of *France au Québec / la saison*.

"... and the Baie de Métis became a landscape of light, offering a spatial and sensory experience that will not soon be forgotten by the 6,000 spectators."

Les sensibilités des chambres vertes

« L'art des jardins (...) est pour l'homme un mode fondamental d'expressions et d'expériences. Il s'agit d'un terme moderne forgé pour designer l'intervention par laquelle, dans un espace donné, des hommes et des femmes façonnent et créent un nouvel environnement pour eux-mêmes ou pour une société ou une culture donnée. », John Dixon Hunt (1996 : 16), *L'art du jardin et son histoire*, Éditons Odile Jabobs

The Sensibilities of Garden Rooms

"The art of gardening (...) is a fundamental means of expression and experience for humans. It is a modern term devised to describe the intervention through which men and women shape and create a new environment in a given space, for themselves or for a given society or culture." , John Dixon Hunt (1996 : 16), *L'art du jardin et son histoire*, Éditons Odile Jabobs. Translated by Terry Knowles.

jardin

Le Festival international de jardins de Métis nous convie depuis deux ans à la découverte de cet art. Art millénaire de la mise en scène des lieux, du savoir-faire horticole et écologique et des métiers qui y sont associés, le jardin est aussi l'art de la quotidienneté, miroir de notre environnement. Il est le reflet de notre façon de vivre la ville et la campagne et des dialogues que nous entretenons avec la nature et la culture des lieux. Le jardin est donc devenu une figure de plus en plus courante de notre cadre de vie.

Les raisons d'un rendez-vous avec les jardins

Malgré son immense popularité, le jardin, au moins en Amérique du Nord, est paradoxalement en passe de devenir un lieu commun et d'usage ordinaire, banalisé parle « bon goût » et le soi-disant « bon usage ». Le jardin ne doit pas se réduire à la corvée (parfois plaisante et non dénuée de charme) du ramassage des feuilles mortes et de la tonte du gazon, parce qu'on le considère comme le prolongement de notre maison proprette (l'extension « naturelle » de nos environnements intérieurs), ou parce qu'il est la pâle photocopie ou vidéographie du « bel arrangement ». Il semble malheureusement souffrir actuellement de notre trop grande proximité. Nous n'arrivons plus à voir ce qu'il est devenu. Le jardin n'est plus à distance du regard tout comme il convie de moins en moins à l'expérience, si ce n'est celle de son entretien, de sa mise en ordre saisonnière. Nous sommes peu curieux de son passé ou de sa nature présente. Le jardin serait en voie d'absence, depuis de trop longues années, endormi sous ses archétypes qui ont subi l'usure du temps. Nous ne sommes plus capables de lire, et encore moins de nous en émerveiller.

garden

The International Garden Festival at Reford Gardens has invited visitors to discover the delights of this art for two years now. It is an age-old art, involving ways of shaping our surroundings, technical expertise (both horticultural and ecological) and various associated trades. But gardens also celebrate the art of daily living. They are a mirror of our everyday environments. They reflect the way we live in the city and the country, and our dialogue with nature and the plants around us. Gardens have thus become increasingly common elements in our environment.

Some reasons for a gardening rendezvous

Despite their immense popularity, gardens are paradoxically becoming quite ordinary and commonplace, in North America at least, sanitized by "good taste" and so-called "proper use." A garden should not be reduced to a place where one engages in the (albeit sometimes agreeable and not charmless) chores of raking leaves and mowing the lawn because it is some kind of prolongation of our tidy home (a "natural" extension of our indoor environments), or because it is a pale photocopy or video of a "nice arrangement." Gardens unfortunately seem to be suffering these days from our excessively close quarters. We cannot see the garden for the grass, as it were. They are no longer something we can gaze out on, and we tend less and less to interact with them, apart from maintaining and tidying them up each season. We have very little curiosity about their history or their modern face. They are no longer a presence for us, even if we touch one every day with our own hands. The garden is leaving us, because it has been slumbering for too many years, lazily giving way to the time-worn archetypes that we can no longer read and that certainly have lost the capacity to amaze us.

un

Métis, le lieu
du réveil des jardins
et de leur invention

Cet art mérite un autre dessein. Plus que tout, le jardin doit convier à l'extraordinaire. Cet extraordinaire n'est pas nécessairement l'extravagance, mais le fabuleux sens des choses et des situations, notre capacité à construire un monde sensible. C'est la raison pour laquelle le festival de Métis met en vitrine des créations contemporaines. En plus de contrer et confronter la bienséance des normes horticoles et sociales, il contribue à l'invention et à la réinvention d'un art de sensibilités. Le festival est là pour nous démontrer que le jardin est, avant tout, une aventure de l'imaginaire et un plaisir sans cesse renouvelé.

La première édition (2000) l'a prouvé, l'idée d'un rendez-vous événementiel avec les jardins rejoint indéniablement les aspirations d'un public en quête de renouvellement. Le rendez-vous de 2001 nous l'a confirmé, cette forme d'expression éphémère du jardin s'arrime parfaitement au rythme de notre monde en perpétuelle transformation.

art de sensibilités

The Reford Gardens, a venue for reviving and inventing gardens

This art deserves a new examination. Above all, gardens must invite us into an extraordinary world, not necessarily of extravagance, but of a fabulous sense of things and possibilities, of our ability to build a world of sensibilities. This is why the International Garden Festival showcases contemporary creations every year. In addition to countering and confronting comfortable horticultural and social norms, it seeks to encourage the reinvention and invention of an art of sensibilities. The purpose of the Festival is to show us that gardens are first and foremost an adventure in imagination and a constantly renewed source of enjoyment.

The first edition, in 2000, proved beyond a doubt that an event-oriented gardening rendezvous appealed to a public in search of renewal. The second edition, in summer 2001, confirmed that this approach to expression through ephemeral gardens was perfectly suited to our society in perpetual motion.

le jardin

Cette éphémérité qui caractérise les jardins du Festival international de Métis peut paraître nouvelle, or elle est profondément inscrite dans l'histoire de l'art des jardins. Elle en est le prolongement. Au 17e siècle déjà, les parterres de broderie végétale des « Jardins de plaisir » d'André Mollet étaient conçus pour étonner, tout comme les décorations florales dans les cabinets de verdure des jardins de Versailles destinés aux rendez-vous festifs. À cette époque baroque, l'événement était l'une des natures du jardin. Les jardins étaient des lieux de célébrations où se multipliaient les surprises visuelles : jets d'eau et plaisanteries hydrauliques, automates et androïdes, farces et effets spéciaux. En fait, l'événement n'a jamais quitté le jardin. Il a toujours été la scène des festivités de toutes sortes. Nous ne le voyons plus, aveuglés par le rythme des saisons. Pourtant, nos plates-bandes d'annuelles ne sont-elles pas la mise en spectacle de la belle saison ? Ces fleurs ne sont-elles pas la touche expressive et fugace qui accompagne la lente maturité des composantes du jardin ?

En ce sens, la manifestation actuelle des jardins éphémères de Métis serait le réveil de pratiques oubliées. C'est là, couplé au désir d'innover, que l'événement prend tout son sens. Le jardin n'est pas le lieu de l'immuable, mais l'occasion de contrer l'ennui. L'étonnement est ainsi convoqué au jardin, par des regards et des narrations, suggérés ou non, tout comme par les expériences fugaces d'un corps à corps avec l'expression proposée et sa mise en lieu.

événementiel

The ephemerality that characterizes the Festival's gardens may seem novel, but in fact it is deeply-rooted in the history of garden art. Ephemerality ensures this art's continuance. In the 17th century, for example, the beds of plant embroidery in André Mollet's *Jardins de plaisir*, were intended to astonish visitors, as were the floral ornaments in the *cabinets de verdure* of the Versailles gardens, designed for festive gatherings. For in Baroque times the garden was considered an ideal place for events to happen. It was a venue for celebrations, and an important role was played by visual surprises in many forms, ranging from fountains and trick water jets to automatons and androids, jokes and special effects. In fact, this event-oriented dimension has never left the garden. It is just that, blinded by the rhythm of the seasons, we tend to overlook this aspect of gardens. Yet when we plant our beds of "annuals," is it not a way of dramatically symbolizing the summer season? These flowers are an expressive and fleeting touch that accompanies the slow maturing of other parts of the garden.

So the modern-day celebration of temporary gardens by the Festival is in fact a revival of forgotten practices. This is where its meaning lies, combined with a desire for inventiveness. The garden is not an immutable environment, but rather something created to stave off boredom. Surprise is part of a garden, through viewpoints and dialogues, explicit or otherwise, and through the fleeting experiences of an encounter between the proposed expression and its realization.

jardinpaysage

Le jardin mis sous interrogations

Cette manifestation métisse soulève aussi la question du territoire, du paysage et du jardin lui-même. Étant contre l'idée d'un rendez-vous thématique annuel réunissant tous les concepteurs retenus, les idées de jardins se déploient sur d'autres horizons, donnant ainsi libre cours aux intentions et interprétations. Cette liberté n'est qu'apparence puisque le fait de laisser les portes ouvertes aux idées et à leur projection amène directement les concepteurs à définir ce qu'est le jardin, ce qu'il n'est pas ou ce qu'il peut être. Est-il floral ou pas, naturel ou artificiel, forme ou informe, lieu ou non-lieu ? La liste des binômes semble infinie à l'écoute de ceux qui parlent. Mais, l'une des interrogations incessantes renvoie au couple « jardin/paysage » puisque ces termes sont couramment associés sous le vocable « jardin paysager » ou sous l'appellation de ceux qui traditionnellement fabriquent le jardin, soit « l'architecte paysagiste » et « le paysagiste ». Toutefois, le jardin n'est pas pour autant le paysage ou le paysage le jardin. L'un est un sujet, l'autre, un sujet/objet, tous deux soumis aux regards et aux représentations. Nous voulons habiter le paysage pour en faire notre jardin et nous voulons vivre l'illusion d'un jardin sans clôture pour être dans le paysage. Nous jouons de l'un et de l'autre depuis toujours. Le brouillage n'est là que pour nous rappeler les juxtapositions et les oppositions possibles et tout simplement la raison du couple. Ainsi, le jardin n'est-il pas l'échelle d'une nécessaire proximité face à l'espace de la démesure que nous offre le territoire ? Ou n'est-il pas là pour contrer l'inertie du paysage qui apparaît de plus en plus comme le sujet malheureux de la fixité (puisque celui-ci semble de plus en plus perçu comme le vestige de nos racines) ? Ou n'est-il pas l'essentiel contre-pied du parement « blanc ou gris » de notre nordicité québécoise ?

The garden interrogated

This event also raises the issues of territory, landscape and the garden itself. The Festival intentionally rejected the idea of an annual thematic gathering bringing together the designers chosen; instead, the goal is to encourage ideas to spread out to other horizons, and the designers are given *carte blanche* to express their intentions and interpretations. This freedom is an illusion, though, for when the door is left open for designers to express and project their ideas, they are encouraged to define the meaning of a garden — what it is or is not or could be. Is it floral? Natural or artificial? Structured or structure-less, a place or a non-place? If one listens to those who speak about this, the list of dichotomies seems endless. But one of the questions that constantly crops up has to do with the "garden/landscape" duality, for the two terms are often mentioned in the same breath, as when we speak of "landscape gardens" or refer to those who traditionally create gardens, as "landscape architects" or "landscape designers." However, a garden is not a landscape for all that, and conversely a landscape is not a garden. One, the landscape, is a subject, while the other, the garden, is a subject/object. Both are exposed to examination and representation. We want to inhabit the landscape and make it our garden, and we want to experience the illusion of a garden without fences, to feel that we are in the landscape. We have always juggled the two concepts. The confusion merely reminds us of the juxtapositions, the possible oppositions and finally the reason for the duality. Is a garden like a scale — approachable and nearby — enabling us to measure the immensity of the territory beyond? Or is it there to counter the inertia of the landscape, which we unfortunately see as something immutable (since it increasingly seems to be viewed as an important part of our heritage)? Or is it an essential contrast to the "white and grey" exterior of Quebec nordicity?

être bien

L'édition 2001,
chambres vertes
en sensibilités

Dans l'édition 2001 du festival, le jeu des réflexions est pluriel. Les « Chambres vertes », qui accueillent principalement les réalisations des concepteurs, sont un réceptacle de sensibilités. Elles dégagent une heureuse et rassurante hétérogénéité et le jardin y est questionné de toute part.

Ainsi, le jardin peut être l'allégorie d'un paysage comme celui qui le côtoie à l'image du « *Jardin territoire* » de Pierre Thibault (en collaboration avec Katherine McKinnon et Vadim Siegel). Le jardin draine les sensibilités du territoire. Il peut aussi dialoguer avec son contexte immédiat ou lointain par divers points de vue (par les vistas) tout comme il peut, par sa simple proximité d'une chose signifiante (le bois, le champ, le fleuve, la mer) nous rassurer « d'être bien là ». Le jardin peut aussi exacerber sa propre présence par rapport au territoire dans lequel il sied. C'est ainsi que Bernard Lassus convie le visiteur à se situer. Le jardin est le lieu d'un « être là » qui tend à être oublié et il nous propose, dans sa réalisation « *ÊTRE LÀ un peu.. +* », son ressaisissement du lieu. Le jardin situe l'environnement de son visiteur par le déploiement des mesures climatiques et physico-spatiales.

là

2001 Edition, garden rooms ripe with sensibilities

The 2001 edition of the Festival featured a multiplicity of reflections. The "green rooms" that mainly housed the designers' creations were receptacles of sensibilities. They exuded a pleasing and reassuring heterogeneity, questioning the very essence of a garden at every turn.

A garden may be the allegory of a landscape like the one next to it, as was *"Jardin territoire"* created by Pierre Thibault (in collaboration with Katherine McKinnon and Vadim Siegel). Their garden tapped into the sensibilities of the territory. It can also interact with its immediate or distant context through points of view (vistas) or reassure us simply by its proximity that it is "really there," near something meaningful (the woods, the field, the river or the sea). A garden may also exacerbate its own presence in relation to the territory in which it exists. This was the vision offered by Bernard Lassus. A garden is a place for the presence of individuals, but this tends to be forgotten. It was this need to reappropriate the space that he referred to in his *"Etre là un peu.. +"* garden, an exercise that situated the visitor's environment through its use of weather and physico-spatial measuring tools.

wilderness

Ce Festival met de toute part le jardin sous interrogations. Le projet « *Sentier battu* » du groupe BGL (Jasmin Bilodeau, Sébastien Giguère et Nicolas Laverdière) interroge pour sa part le substrat originel du jardin : celui-ci n'est-il pas né d'une coupe à blanc ? Le jardin « *In vitro* » de NIP Paysage (Mathieu Casavant, France Cormier, Josée Labelle, Michel Langevin et Mélanie Mignault) interpelle quant à lui la matière ligneuse (les épinettes), celle qui nous apparaît comme étant la première nature (le *Wilderness*). Le jardin joue avec les ambivalences du destin écologique et de la manipulation génétique de la nature. Mais à ce jeu s'en superpose un autre, celui de l'imaginaire sylvestre. Dans le même esprit, le jardin « *Not in my Backyard* » de Patricia Lussier et Anna Radice (Espace DRAR) tend à vouloir expurger du concret domestique de l'univers des déchets le rêve de leur ré-usage imaginatif.

The Festival challenged the concept of the garden in every way. The "*Sentier battu*" of Groupe BGL (Jasmin Bilodeau, Sébastien Giguère and Nicolas Laverdière) questioned the original substratum of the garden: is a garden not created on top of a clear cut? The "*In vitro*" garden by NIP Paysage (Mathieu Casavant, France Cormier, Josée Labelle, Michel Langevin and Mélanie Mignault) focused on ligneous matter (spruce trees), that seemed like raw nature ("*Wilderness*"). Their garden played with the way we are torn between ecological destiny and the genetic manipulation of nature. But another game was superposed on the others, that of the forest imagination. In this spirit, the "*Not in my Backyard*" garden by Patricia Lussier and Anna Radice (Espace DRAR) looked at the concrete domestic world (of refuse) and tried to extract a dream, that of re-using waste imaginatively.

éveil

La seconde édition démontre avant toute chose que le jardin est la plate-forme des interprétations et des constats. Certaines réalisations comme « *Sous la pelouse, le jardin* » (Sophie Beaudin, Marie-Ève Cardinal et Michèle Gauthier) et « *Narcissist Narcosses* » (Richard Davignon, Laura Plosz et Troy Smith) sont la conjugaison de lectures littérales et d'expériences formelles (et plastiques). D'autres nous rappellent cependant que le jardin est conditionné par la main du lieu et celle du jardinier. Il est l'heureuse conjonction des deux. Le jardin « *Couleur du temps* » de Dominique Caire met en évidence l'expression du temps et le plaisir des floraisons. Le jardin « *Une semaine au potager* » de Michel Boulcourt propose quant à lui le potager qui déploie un plaisir quotidien pour ensuite s'étirer en bouche.

Avec toutes les réserves qu'implique un regard synthétique sur l'ensemble de la production de ce deuxième rendez-vous, trois principaux positionnements semblent s'en dégager. Le premier est lié à la narration du lieu et à la conscience d'y être. Le deuxième est la mise en imaginaire de constats sur nos natures. Le troisième est le rappel du geste du jardinier. Ces partis pris font de Métis une rencontre où la complétude du jardin n'est pas recherchée puisqu'il ne s'agit pas de faire œuvre de modèle.

Cette édition 2001 du Festival, tout comme la précédente, est une ode à l'expérimentation où chacune des réalisations est l'intention marquante d'un ou des concepteurs engagés dans l'éveil d'un art.

Philippe Poullaouec-Gonidec, titulaire et cofondateur de la Chaire en paysage et environnement de l'Université de Montréal et cofondateur du Festival

reviving

The second edition proved above all that a garden is a launching pad for interpretations and observations. Some creations were the conjugation of literal readings and formal (and plastic) experiences, such as "*Sous la pelouse, le jardin*" (Sophie Beaudin, Marie-Ève Cardinal and Michèle Gauthier) and "*Narcissist Narcoses*" (Richard Davignon, Laura Plosz and Troy Smith). Others, however, reminded us that gardens are shaped by their surroundings and the gardener's skills, and are a pleasing conjunction of the two. The "*Couleur du temps*" garden by Dominique Caire highlighted the expression of time and the pleasure of blooms. Michel Boulcourt's "*Une semaine au potager*" depicted a vegetable garden, which every day offers up different pleasures that can also be later enjoyed on our plates.

Although it is highly risky to attempt to sum up the whole production of this second Festival, three main positions seem to have been taken. The first is related to a narration of the site and to awareness of being there. The second is linked to giving imaginative expression to observations on our nature. The third reflects the gestures of a gardener. Such attitudes ensure that the Festival does not become an event that seeks to circumscribe the entire notion of the garden, for the goal is not to offer a model.

The 2001 edition of the Festival, like the previous one, was an ode to experimentation, in which each creation expressed the intentions of its designer or designers, committed to reviving an art.

Philippe Poullaouec-Gonidec, holder and co-founder of the Chair in Landscape and Environmental design at the Université de Montréal and Co-founder of the Festival

jardins 1 2 3

les jardins, leurs concepteurs

5 6 7 8 9

Une semaine au potager

Michel Boulcourt, FRANCE

Le jardin conçu par l'architecte paysagiste français Michel Boulcourt est en fait un dispositif d'exposition d'arrangements potagers. Tapissé de bandes continues de schiste rouge et de noir charbon, il est soigneusement organisé en compartiments identiques séparés par des rideaux de perches de bouleau qui créent des chicanes. Le visiteur découvre donc l'un après l'autre six sous-espaces qui correspondent chacun à un jour de la semaine ainsi qu'à une couleur. Tous sont garnis de quatre compositions potagères en brouette comprenant le légume du jour, ses compagnons légumes et ses compagnes fleurs. Et le dimanche ? C'est jour de fête : le potager se met en bouche selon les recettes de Guy Savoy, le grand cuisinier à qui est dédié cet hommage jardinier aux artistes du goût.

The garden designed by French landscape architect Michel Boulcourt was actually a device for exhibiting vegetable plots. Nestled between bands of red schist and coal black, it was carefully organized into identical compartments by screens of birch poles, creating baffles. Visitors discovered six consecutive sub-spaces, each corresponding to one day of the week and one precise colour. All were garnished with four vegetable-plot compositions in wheelbarrows, featuring the vegetable of the day, along with its companion vegetables and flowers. And what about Sunday? It's a feast day — time to enjoy the "fruits" of the vegetable garden, using recipes devised by Guy Savoy, the great chef to whom the garden's creator dedicated this tribute to artists of the kitchen.

Michel Boulcourt est architecte paysagiste et professeur associé à l'École nationale supérieure de la nature et du paysage de Blois, France. Il s'est notamment fait connaître par ses créations dans le cadre du Festival de jardins de Chaumont-sur-Loire. Son agence, qui participe avec succès à de nombreux concours, conçoit et réalise des jardins privés et publics ainsi que des aménagements paysagers.

Une semaine au potager

Michel Boulcourt

Michel Boulcourt is a landscape architect and associate professor at the École nationale supérieure de la nature et du paysage de Blois, France. He has made a name for himself with his creations for the Chaumont-sur-Loire garden festival. His firm, which has successfully entered a number of competitions, also designs and produces private and public gardens as well as landscaping.

Couleurs du temps

Dominique Caire, FRANCE

Entre ciel et terre, entre eau et forêt, entre prairie et potager, un jardin de fleurs qui marie les couleurs à l'espace et au temps. Ses éphémères se relaient toute la saison pour se mêler aux ambiances environnantes. Il puise sa vie dans des caisses à homard, envahit des paniers à bourgots et des filets de pêche. Sa cabane belvédère offre un cadre pour admirer le fleuve et les hôtes de ses maisons à oiseaux réjouissent les visiteurs. Un jardin créé par l'architecte paysagiste française Dominique Caire dans le but de procurer de subtils plaisirs de vivre à ses visiteurs.

Between earth and sky, between water and forest, between meadow and vegetable plots, this was a flower garden that wed colours with space and time. Its ephemeral glories succeeded each other throughout the whole season, blending with the surroundings. It drew its life force from lobster traps and invaded whelk baskets and fishing nets. Its lookout cabin offered a superb view of the St. Lawrence and the occupants of its birdhouses delighted visitors. This garden created by French landscape architect Dominique Caire was intended to offer its visitors some of life's subtle pleasures.

Diplômée de l'École nationale supérieure du paysage de Versailles, l'architecte paysagiste Dominique Caire a fondé son bureau *Feuille à Feuille* en 1988. Située aujourd'hui en pleine campagne, l'agence possède son propre jardin d'expérimentation. Dominique Caire y dirige une équipe de six personnes qui conçoit essentiellement des aménagements paysagers urbains (places, parcs, jardins et quartiers d'habitation) et/ou de sites patrimoniaux (centres historiques, abords de bâtiments classés, restauration de jardins). Depuis 1998, elle enseigne à l'École supérieure de la nature et du paysage de Blois. En 2000, elle a reçu en France le Trophée du Paysage du ministère de l'Aménagement du territoire et de l'Environnement pour un projet de restructuration d'un quartier d'habitat social.

Couleur du temps

Dominique Caire

Landscape architect Dominique Caire is a graduate of the École nationale supérieure du paysage de Versailles and founded her own firm, Feuille à Feuille, in 1988. Today, located deep in the countryside, the firm has its own experimental garden. There she heads a team of six, mainly designing urban landscapes (squares, parks, gardens and residential neighbourhoods) and/or heritage sites (historical centres, surroundings of heritage buildings, garden restoration). Since 1998, she has been teaching at the École supérieure de la nature et du paysage de Blois. In 2000, Dominique Caire received the Trophée du Paysage from the Ministère de l'Aménagement du territoire et de l'Environnement of France for a project to restructure a social housing district.

Sentier battu

BGL (Jasmin Bilodeau, Sébastien Giguère, Nicolas Laverdière), QUÉBEC, CANADA

Jasmin Bilodeau, Sébastien Giguère et Nicolas Laverdière, les trois jeunes artistes qui forment le déjà célèbre groupe BGL, créent un troublant jardin de « patenteux » sur deux niveaux. En haut de l'escalier, miroitante sous les effets conjoints de la brise et du soleil, on découvre une amusante illusion de jardinet frémissant faite de petites pièces de ruban adhésif vert accrochées à des fils de nylon. Au ras du sol, en revanche, à l'ombre de cette rieuse verdure synthétique suspendue entre les arbres avoisinants par des câbles d'acier, s'étend un univers végétal de désolation, évocation du chaos de débris forestiers d'après la coupe à blanc.

Jasmin Bilodeau, Sébastien Giguère and Nicolas Laverdière, the three young artists who make up the already celebrated BGL group, created a disturbing garden of home-made inventions on two levels. At the top of the steps was a playful illusion of a tiny garden, consisting of bits of green adhesive tape attached to nylon strings, shimmering and quivering in the breeze and the sunshine. Down at ground level, on the other hand, in the shade of this entertaining synthetic greenery suspended from steel cables between the surrounding trees, was a desolate plant world, an evocation of the chaos left behind after clear-cutting in the forest.

BGL, c'est Jasmin Bilodeau, Sébastien Giguère et Nicolas Laverdière, trois artistes qui se sont rencontrés pendant leur formation en arts plastiques à l'Université Laval de Québec. Ensemble, ils ont développé un art de l'installation qui en est aussi un de la récupération. Des matériaux usagés, souvent recyclés à contre-emploi, servent à reconstruire des lieux communs pour mieux les démonter. Cette pratique d'artistes bricoleurs qui utilisent les déchets de leurs spectateurs pour retranscrire l'univers ordinaire dans un langage de « patenteux » poètes leur vaut, depuis quelques années, un remarquable succès public et critique.

Sentier battu

BGL

BGL is Jasmin Bilodeau, Sébastien Giguère and Nicolas Laverdière, three artists who met while studying visual arts at Université Laval in Quebec City. Together, they have developed an approach to installation art that involves recovering used materials, often recycling them in unexpected ways to build commonplace entities, the better to dismantle them. This kind of art, using the audience's cast-offs to transcribe the ordinary world in a language of poetic home-made inventions, has won them remarkable public and critical success in recent years.

Le littoral métissien et son histoire biologique et géologique sont recomposés. Dans un environnement couvert de hautes plantes cultivées, l'architecte Pierre Thibault dispose des découpes de territoire taillées dans leur milieu naturel, vivant ou fossile. Ainsi, autour d'une empreinte du fleuve-mer primordial se côtoient sans se fondre les formes, les couleurs, les textures et les odeurs des matières végétales et minérales du marais salé, de la batture, du rivage micmac englouti, du sillon de blé cultivé et de la forêt vierge. Ce poème jardinier s'inscrit pleinement dans la pratique de l'équipe de Pierre Thibault, acclamée pour la sensibilité au territoire québécois de ses architectures et installations.

Jardin territoire

Pierre Thibault, en collaboration avec Katherine McKinnon et Vadim Siegel, QUÉBEC, CANADA

In this garden, the Métis shoreline, with its biological and geological history, was recomposed. In an environment full of tall cultivated plants, architect Pierre Thibault arranged slices of land lifted from their natural setting, be it living or fossil. Around an imprint recalling the primordial river/sea were set individual shapes, colours, textures and odours of plant and mineral matter from the salt marsh, the tidal flat, the sunken Micmac shore, a furrow of cultivated wheat and virgin forest. This garden-poem is very typical of the practice of Pierre Thibault's team, acclaimed for their sensitivity to the Quebec landscape in their architecture and installations.

L'architecte Pierre Thibault est lauréat de nombreux prix au Québec, au Canada et à l'étranger, dont le prix de Rome du Conseil des arts du Canada. Le *Jardin territoire* qu'il a conçu pour le Festival avec ses collaborateurs Katherine McKinnon et Vadim Siegel prolonge une fructueuse démarche d'exploration architecturale du territoire québécois qui a notamment inspiré l'installation *De l'igloo au gratte-ciel* (Paris, Jardins des Tuileries, 1999) et l'architecture de la villa du lac du Castor (Grandes-Piles, Québec, 2000).

Jardin Territoire

Pierre Thibault

Architect Pierre Thibault has won numerous awards in Quebec and elsewhere in Canada and abroad, including the *Prix de Rome* award from the Canada Council. His *Jardin territoire,* designed for the Festival in collaboration with Katherine McKinnon and Vadim Siegel, is another step in his fertile architectural exploration of the Quebec landscape, which has already inspired an installation entitled *De l'igloo au gratte-ciel* (Paris, Jardins des Tuileries, 1999) and the architecture of the villa on Lac du Castor (Grandes-Piles, Quebec, 2000).

Sous la pelouse, le jardin

Sophie Beaudoin, Marie-Ève Cardinal, Michèle Gauthier (Groupe Cardinal Hardy)

QUÉBEC, CANADA

L'universelle pelouse plane est ici restructurée par une éruption de grands prismes gazonnés qui laissent d'énigmatiques cratères anguleux taillés dans le sol. Trois architectes paysagistes de l'important bureau montréalais Groupe Cardinal Hardy fouillent dans le quotidien pour trouver matière à débanaliser le jardin de tous les jours et de tout un chacun : Sophie Beaudoin, Marie-Ève Cardinal et Michèle Gauthier proposent un aménagement sculptural animé de monticules et de fosses géométriques qui recèlent des accumulations de trésors industriels ordinaires et utilitaires aux effets visuels chatoyants et troublants.

Here the ubiquitous flat lawn was transformed by an eruption of huge grass-covered prism shapes, leaving enigmatic, angular craters carved into the soil. Three landscape architects from a leading Montreal firm, Groupe Cardinal Hardy, dug deep into the mundane and came up with ways of adding imagination to everyday, everywhere gardens: Sophie Beaudoin, Marie-Ève Cardinal and Michèle Gauthier devised a sculptural arrangement of mounds and geometrical pits filled with accumulations of common, utilitarian industrial treasures that created shifting, shimmering and disturbing effects.

Sous la pelouse, le jardin
Sophie Beaudoin, Marie-Ève Cardinal,
Michèle Gauthier (Groupe Cardinal Hardy)

Sophie Beaudoin, Marie-Ève Cardinal et Michèle Gauthier sont toutes trois des architectes paysagistes du Groupe Cardinal Hardy. Michèle Gauthier est associée au sein de ce grand bureau montréalais tandis que Sophie Beaudoin et Marie-Ève Cardinal ont rejoint l'équipe au cours des trois dernières années. Ensemble ou individuellement, elles ont notamment conçu les projets suivants : les *promenades du Vieux-Port* (Montréal, 1990-92), le *plan lumière du Vieux-Montréal* (1996-2000) et le *jardin Cognicase de la Cité du multimédia* (Montréal, 1999-2001).

Sophie Beaudoin, Marie-Ève Cardinal and Michèle Gauthier are all landscape architects with Groupe Cardinal Hardy, a large Montreal firm. Michèle Gauthier is a partner, while Sophie Beaudoin and Marie-Ève Cardinal joined the team in the past three years. Together and individually, they have worked on a number of major projects: the Old Port Promenades (Montreal, 1990-92), the lighting plan for Old Montreal (1996-2000) and the Cognicase garden in the Cité du multimédia (Montreal, 1999-2001).

ÊTRE LÀ un peu.. +

Bernard Lassus, FRANCE

L'architecte paysagiste de renommée internationale, Bernard Lassus, a pris pour parti de donner à percevoir et à ressentir son site d'intervention tel qu'il est, dans toute la mesure du possible. Il investit donc le lieu de manière minimale et de manière à limiter l'impact des visiteurs. Ainsi, des plots surélevés permettent de circuler sans fouler le terrain. Ils mènent à des postes d'observation et de sensations sur sol mou mais artificiel. Là, le visiteur peut confronter sa perception de ce lieu qui débouche sur le fleuve avec les indications de divers instruments d'observation et de mesure des paramètres environnementaux.

Internationally renowned landscape architect Bernard Lassus started from the premise that visitors should perceive and feel the site just as it is, as much as possible. He made minimal changes, ensuring that his design limited visitors' impact. There were raised steps so that people could move about without actually touching the ground, leading them to observation and sensing posts on a soft but artificial surface. There visitors could refine their sensory perception of this place, and its view of the St. Lawrence, by consulting various instruments for observing and measuring environmental parameters.

Bernard Lassus, plasticien et ancien élève de l'Atelier Fernand Léger, est architecte paysagiste et œuvre en France et aux États-Unis. Lauréat dans son pays du Grand prix national du Paysage en 1996, il y est membre associé du Conseil général des Ponts et Chaussées et conseiller en paysage auprès du directeur des Routes. L'une de ses plus importantes créations est le Parc de la Corderie Royale de Rochefort-sur-mer dont le Jardin des Retours a reçu, en 1993, le Grand prix national français du ministère de la Culture. En 1998, alors qu'il était professeur associé au Département paysage de l'Université de Pennsylvanie, il a publié *The Landscape Approach*. (University of Pennsylvania Press)

ÊTRE LÀ un peu.. +

Bernard Lassus

Bernard Lassus, a visual artist and a former student of the Atelier Fernand Léger, works as a landscape architect in France and the United States. Winner of the French Grand Prize for landscaping in 1996, he is an associate member of the Conseil général des Ponts et Chaussées and a landscaping consultant to the Directeur des Routes in France. One of his most important creations is the Parc de la Corderie Royale in Rochefort-sur-mer. The Jardin des Retours he created there received the national Grand Prize from the French Ministère de la Culture in 1993. In 1998, while he was teaching as an associate professor in the Landscape Department of the University of Pennsylvania, he published *The Landscape Approach* (University of Pennsylvania Press).

Narcissist Narcosses

Research & Development in Architecture
(Richard Davignon, Laura Plosz, Troy Smith), ALBERTA, CANADA

Semblant prélevée du très uniforme environnement rurbain de la région de Calgary, s'étend une série d'étroites bandes parfaitement parallèles, animées d'ondulations contrastantes et tapissées de différentes espèces d'herbe. Dimensionnées en fonction du chemin de coupe d'une tondeuse, elles font toutes l'objet de soins dignes de la manucure sauf une, laissée à l'abandon, qui permet de mesurer le travail d'entretien accompli. Surprise : par cet alignement régulier de tranches de monotonie banlieusarde, les architectes stagiaires Richard Davignon, Laura Plosz et Troy Smith créent un jardin-paysage stimulant qui dénonce la dictature du propre et du lisse avec ses propres armes.

As if systematically lifted from different places in the ultra-uniform Calgary rurban environment, a series of narrow strips lay perfectly parallel but set off by contrasting undulations and carpeted with different species of grass. All of them, the width of a lawnmower's path, were carefully manicured — all except one, that is, allowed to grow wild so as to illustrate the extent of the upkeep required for the others. Strange to say, through this regular alignment of strips of suburban monotony, trainee architects Richard Davignon, Laura Plosz and Troy Smith created a stimulating garden-landscape that battled the tyranny of tidiness and order with its own weapons.

Richard Davignon, Laura Plosz et Troy Smith sont de jeunes architectes stagiaires, actifs dans différents bureaux de Calgary et, par ailleurs, associés dans Research & Development in Architecture. Cette structure leur permet de mener une réflexion critique sur l'architecture (concours) et de la pratiquer de manière exploratoire (projets), dans le but de contribuer à la réconciliation du cadre bâti et du paysage.

Narcissist Narcoses

Research & Development in Architecture

Richard Davignon, Laura Plosz and Troy Smith are young architects (interns) working in different Calgary offices and who also work together as Research & Development in Architecture. Their partnership gives them an opportunity to reflect critically on architecture (through competitions) and to practise this discipline in an exploratory way (projects) with the goal of reconciling the built environment and the landscape.

Avoir son bout de
(Être ivre)
Avoir la
(Avoir la
jambe de bois
un restaurant
Chèque de bois
(Chèque sans
Toucher du bois
(Désigne un geste
conjurer le mauvais sort)

In vitro

NIP Paysage (Mathieu Casavant, France Cormier, Josée Labelle, Michel Langevin, Mélanie Mignault)

MASSACHUSETTS, ÉTATS-UNIS

Cinq jeunes architectes du paysage issus des quatre coins du Québec (Abitibi, Gaspésie, Lac Saint-Jean, Laurentides) et tous actifs à Cambridge, aux États-Unis, proposent un questionnement ludique et esthétique sur la forêt contemporaine. Ils s'installent dans une clairière, lui donnent une façade d'épinettes en barils et y tracent un chemin de bois linéaire traversé obliquement par des veines de copeaux en plastique sur lesquelles sont construites des charpentes en métal remplies d'énigmatiques bocaux forestiers. Est-ce un lieu de production industrielle, de consommation de masse, de manipulation génétique ou d'exposition culturelle ? Toutes questions qui se posent aussi quand on tente de définir la forêt contemporaine.

Five young landscape architects, all from different parts of the Quebec woods (Abitibi, Gaspé, Lac Saint-Jean, Laurentians) and all working in Cambridge, in the United States, offered a playful and aesthetic second take on the modern-day forest. They set their garden in a clearing, gave it a façade of spruces in barrels and laid out a linear wooden path, criss-crossed with veins of plastic chips above which rose metal structures filled with enigmatic forest containers. Was this a site for industrial production, mass consumption, genetic engineering or cultural exhibition? All these questions also come to mind when one attempts to define the contemporary forest.

Populus tremuloides
Peuplier faux-tremble
Trembling aspen
H:25m Dia:40cm Longévité:80 an

Les membres de l'équipe NIP Paysage sont Mathieu Casavant, France Cormier, Josée Labelle, Michel Langevin et Mélanie Mignault. Tous sont architectes paysagistes au sein de bureaux du Massachusetts, aux États-Unis. Ensemble, ils développent une approche expérimentale de l'architecture du paysage, notamment en participant à des concours internationaux.

In vitro

Nip Paysage

The members of the NIP Paysage team are Mathieu Casavant, France Cormier, Josée Labelle, Michel Langevin and Mélanie Mignault. All are landscape architects with firms in Massachusetts, in the United States. Together, they are developing an experimental approach to landscape architecture, in particular by entering international competitions.

Not in my Backyard

L'espace DRAR (Patricia Lussier, Anna Radice)

QUÉBEC, CANADA

Patricia Lussier et Anna Radice sont deux architectes paysagistes stagiaires associées sous l'étiquette « du rêve à la réalité » (DRAR). Elles nous proposent ici l'itinéraire inverse : de la réalité au rêve, ou comment faire d'une courette sur ruelle un centre personnel de revalorisation fonctionnelle et poétique des déchets. Verre usagé recyclé en tapis de perles scintillantes, cuves en acier galvanisé devenues bassins pour idées et souvenirs, treillis en fil de fer provenant des plus laides clôtures posés sur le sol pour sculpter la pelouse et former des bancs... Comme quoi, au jardin, l'imagination peut supplanter la consommation.

Patricia Lussier and Anna Radice are two intern landscape architects working together under the L'espace DRAR label, standing for "from dreams to reality." Their garden suggested the opposite path: from reality to dreams, or how to take a tiny backyard giving onto an alley and change it into a functional and poetic personal recycling centre. Recycled glass was transformed into a sparkling bead carpet, galvanized steel tubs became containers for ideas and souvenirs, a trellis of the ugliest variety of metal fencing was unfurled on the ground to sculpt the grass and serve as seats... This garden showed how imagination can supplant consumption.

Patricia Lussier et Anna Radice, les deux architectes paysagistes qui forment L'espace DRAR, ont complété leur formation par des expériences à l'étranger, dont un stage au Conservatoire international des parcs et jardins de Chaumont-sur-Loire, en France. À Métis, l'approche de développement durable de leur création éphémère a reçu un écho plein d'à-propos : en raison de l'intérêt manifesté par le public, leur jardin *Not in my Backyard,* créé en 2000, est resté en place pour la deuxième édition du Festival.

Not in my Backyard

L'espace DRAR

Patricia Lussier and Anna Radice, the two intern landscape architects who together make up L'espace DRAR, completed their training by gaining experience abroad, including an internship at the Conservatoire international des parcs et jardins in Chaumont-sur-Loire, France. The sustainable development approach of their temporary creation received a very fitting tribute in Métis: given its great popularity, their *Not in my Backyard* garden, created for the 2000 Festival, remained in place for the second edition.

Les initiateurs du Festival
international de jardins de Métis

MARIE-JOSÉE LACROIX
Cofondatrice du Festival

Marie-Josée Lacroix est, depuis 1991, commissaire au design à la Ville de Montréal. Depuis son entrée en fonction, on lui doit de nombreuses initiatives dont le réputé concours *Commerce Design Montréal* qu'elle réalise annuellement depuis 1995. Marie-Josée Lacroix agit également comme conseillère auprès de divers ministères et institutions pour stimuler l'innovation en design. À ce titre, elle a réalisé ou collaboré à plusieurs concours de design pour le compte, entre autres, de la Grande Bibliothèque du Québec et pour la Société de la Place des Arts de Montréal.

Festival Co-founder

Marie-Josée Lacroix joined the City of Montreal as design commissioner in 1991. Since then she has been the driving force behind many successful initiatives, including the renowned *Commerce Design Montréal* competition, which she has produced every year since 1995. Ms. Lacroix also works as a consultant with various ministries and institutions to encourage innovatine design. In this capacity, she has produced or contributed to a number of design competitions organized for the Grande Bibliothèque du Québec, the Société de la Place des Arts de Montréal and many others.

DENIS LEMIEUX
Directeur du Festival international de jardins

Denis Lemieux est membre de l'Ordre des architectes du Québec depuis 1978. Après avoir œuvré en pratique privée et dans le domaine de l'enseignement pendant quinze ans, il a travaillé au ministère de la Culture et des Communications, à Rimouski et à Québec, à titre de chargé de projet en équipements culturels et à titre de responsable du dossier de l'architecture et du cadre de vie. En mai 1999, il a pris la direction du Festival international de jardins dont il a assuré le démarrage.

Director of the International Garden Festival

Denis Lemieux is an architect and has been a member of the Ordre des architectes du Québec since 1978. After working in private practice and teaching for fifteen years, he joined the Ministère de la Culture et des Communications as a project manager for cultural facilities with the Direction du Bas-Saint-Laurent, in Rimouski, and with the Direction de l'architecture, de l'art public et des équipements culturels, in Quebec City. In May 1999, he was appointed to head the first International Garden Festival organized by the Reford Gardens.

PHILIPPE POULLAOUEC-GONIDEC
Cofondateur du Festival

Philippe Poullaouec-Gonidec est titulaire et cofondateur de la Chaire en paysage et environnement de l'Université de Montréal. Architecte paysagiste et plasticien de l'environnement, il a été directeur de l'École d'architecture de paysage de l'Université de Montréal de 1991 à 1996. Il est l'auteur de plusieurs recherches et publications sur le paysage. En plus d'être cofondateur du Festival international de jardins, il a aussi initié l'École d'été de l'Université de Montréal à Métis en 1998.

Festival Co-founder

Philippe Poullaouec-Gonidec is the holder and co-founder of the Chair in Landscape and Environmental Design at the Université de Montréal. A landscape architect and professor, he directed the School of Landscape Architecture at the Université de Montréal from 1991 to 1996. He is also the author of numerous studies and publications on landscape design in Quebec. He is a co-founder of the International Garden Festival at the Reford Gardens and in 1998, he set up a summer school for the study of landscape in the Métis region.

ALEXANDER REFORD
Cofondateur du Festival

Arrière-petit-fils de Madame Elsie Reford, créatrice des Jardins, Alexander Reford est historien de formation, titulaire d'une maîtrise en histoire de l'Université de Toronto et d'Oxford University en Angleterre. Il a quitté son emploi comme doyen du St. Michael 's College à l'Université de Toronto pour prendre la direction des Jardins de Métis en 1995. Il est également auteur et président de l'Association des jardins du Québec depuis 1998.

Festival Co-founder

Alexander Reford is a historian by training and holds a Master's degree in history from the University of Toronto and Oxford University in England. He is the great-grandson of Elsie Reford, the creator of the Gardens. In 1995 he gave up his position as Dean of St. Michael's College at the University of Toronto to take charge of the Reford Gardens. Mr. Reford is also an author and has been President of the Association des jardins du Québec since 1998.